UNICORNIO

SE CREE GENIAL

Bob Shea

 Picarona

Puedes consultar nuestro catálogo en www.picarona.net

UNICORNIO SE CREE GENIAL
Texto e ilustraciones: *Bob Shea*

1.ª edición: octubre de 2020

Título original: *Unicorn Thinks He's Pretty Great*

Traducción: *Xenia Pawlowsky*
Maquetación: *Montse Martín*
Corrección: *Sara Moreno*

© 2013, Bob Shea
Publicado originalmente por Disney • Hyperion Books, sello editorial de Disney Book Group, USA
(Reservados todos los derechos)
© 2020, Ediciones Obelisco, S.L.
www.edicionesobelisco.com
(Reservados los derechos para la lengua española)

Edita: Picarona, sello infantil de Ediciones Obelisco, S.L.
Collita, 23-25. Pol. Ind. Molí de la Bastida
08191 Rubí - Barcelona
Tel. 93 309 85 25
E-mail: picarona@picarona.net

ISBN: 978-84-9145-406-9
Depósito legal: B-15.623-2020

Impreso por ANMAN, Gràfiques del Vallès, S.L.
c/ Llobateres, 16-18, Tallers 7 - Nau 10. Polígono Industrial Santiga
08210 - Barberà del Vallès (Barcelona)

Printed in Spain

Para Ryan y su mamá mágica.

Las cosas son muy diferentes por aquí
desde que llegó ese **Unicornio**.

Yo me veía **estupendísima**
yendo en bici al colegio.

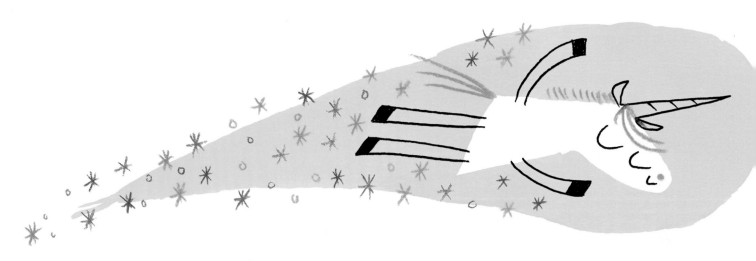

¡Hasta el día en que llegó volando ese fanfarrón!

O cuando hice unas nubes de chuches cuadradas
y me salieron casi perfectas.

¡y él hizo **llover bollos y magdalenas!**

Luego, en el gran concurso de talentos,
estaba yo realizando unos de mis característicos
pasos de baile...

cuando apareció él haciendo unas cabriolas
muy difíciles y *¡se llevó el primer premio!*

Pero eso no es todo,
¡la cosa fue a peor, a mucho peor!

Fíjate en estos trucos mágicos inventados por mí:

Venga,
cierra los ojos.

Mantenlos
cerrados.

A ver,
a ver...

¡Tacháááán!

Mientras tenías los ojos cerrados,
te saqué esta moneda de detrás
de una oreja.

Genial, ¿no?

Pues, bien, cuando fui a hacerlo al cole,
¡él estaba convirtiendo todo en oro!

¡No puedo superar eso!

¡Unicornio zopenco!
¡Se cree genial!

¿Cómo puede tener uno amigos
teniendo a este tipo al lado?

¡Miradme, soy un unicornio!
¡Creo que soy sen-sa-cionaaaaal!

Bla, bla, bla,
bla, bla...

Bueno, pues esta cabra no se lo traga.
Genial, ahí viene.

¿Qué es ese
celestial
olor?

Pizza con queso de cabra.
Yo soy una cabra.

¿¡Qué!?

¿Las cabras dan queso?
Los unicornios no damos queso.
¿Puedo probarlo?

¡Este queso es **de-li-cio-so**!

¡Supercremoso y sabroso!

También es bueno derretido sobre una lata, o esparcido sobre un poco de **basura**.

¡Qué suerte!
Yo sólo puedo comer
purpurina y arcoíris.
¡Maldito sea mi delicado estómago!

¡Ualaa!

¿Y esas pezuñas?

¡Ah! ¿Éstas?
Pues estas traviesas pezuñas
están «partidas».
Eso quiere decir
que en la punta
están divididas en dos.

Gracias a ellas puedo mantenerme de pie en sitios **escarpados** o escalar hasta la **cima** de una montaña.

¡Oh, tía!
¡Yo no puedo llegar a esos sitios, ni escalarlos!
¡Malditas pezuñas normales!

¡No seas duro contigo mismo!
Fíjate en tu **fantástico cuerno**.

¡Es una cosa extraordinaria!

¡Eh, sólo para enseñártelo!
¿Ves? Solamente sirve para señalar.

Pero no puedo jugar a fútbol.
Un cabezazo y ¡el juego se ha acabado!
¡Qué dolor en las cervicales!

Pero tú, no.
Apuesto a que esos
magníficos cuernos
son perfectos
para jugar a fútbol.

Tengo una idea...
Con tu magia y mi genialidad...

haríamos un **equipo imparable**.

Sería **maravilloso**, ¿no?

¡Kiap!

¡Y¡jaaa!

¡Zas!

¡Seguro que sí!

O podríamos ir al parque a jugar.

¿Sabes qué, Unicornio?

Me da la sensación de que podríamos ser **amigos**.